너 처럼 살아도 괜찮다고

정서하

작가의 말

글에는 힘이 있다.

기억에는 순간 순간의 감정이 있다.

손끝에서 눈으로, 눈에서 마음으로 전해지는

그 이야기는 읽는 이의 심리상태에 따라서

공감으로 다가오기도 하고,

위로로 다가오기도 한다.

마음의 빈곳을 채워주는 퍼즐이 되고,

그렇게 마음이 차오르면

우리는 그때서야 알게 될지도 모른다.

여백은 채워져도, 채워지지 않아도

그 모습 그대로 아름답다는 걸

' 나 ' 답다는 걸

나의 과거에도 현재에도 미래에도

나는 모두 나 였기에 그리고 나 이기에

모든 나를 받아들일 수 있어야 한다

그래야만 온전한 내가 되기에

순서

[기다릴게, 언제라도 그리워지면 보러와]

01 새벽이 건네는 위로

기댈 곳

네가 세상에 등을 돌리고
귀를 막아도,

기대서 울어도 되는
등받이가 되어줄게

천천히 기대봐
오래 아파해도 괜찮아,

너의 다친 마음이
다 나으면,

뒤돌아보지 말고 걸어가

나는 늘 네 등 뒤에 있겠지만
네가 다시는 아프지 않길 바라

사랑해

성장

가장 위태롭고
불안한 시간을 보내고 나면,

동이 트고 아침이 오겠지,

너의 밤은 새벽을 지나
아침이 되는 당연한 과정을
겪고 있는 것뿐,

그 이상도 그 이하도 아닌
하루를 살아가고 있다는 것

불안하던 내가 더 이상 보이지 않을 때

아직 넌 모를 거야

오늘이 지나 내일이 오면
또 그 내일이 오면

성장해 있는 또 다른
너의 모습을

난 봤거든,
불안함을 잊은 너의 얼굴을

감정 나누기

너와 나눈 감정 속에는

나의 슬픔도 기쁨도

행복도 사랑도 자리하고 있다

그 감정에 솔직했고

너에게 나눌 수 있었던 건

그게 너였기에 가능했던 거 아니었을까?

원 안에 살아도

너의 바다가

요동치지 않고

고요하기를

네 안에 살고 있는

또 다른 작은 네가

존재감을 드러낼 수 있기를

그냥저냥 흘러가던 오늘 하루가

오로지 너만의 하루가 되어가기를

행복으로

원의 영역을 넓혀가며

살아가기를

이름 모를 소년의 눈물

새벽의 바다는 이름 모를 이의

아픈 마음까지도 어루만져준다

찰랑거리는 그 소리에 기대서

소년은 눈물을 흘렸다

저려오는 마음이

일렁일 때마다

눈물은 더 깊어지고

지쳐버린 마음 곁에는

떠나지 않는 새벽이 있었다

끝과 끝에서

슬픔이 잠들고 난 세상은
무척이나 고요했다

언제 멸망해도 이상하지
않으리만큼 조용했다

 끝없는 밤을 걷고 또 걸었다

그래도 쓸쓸하지는 않았다
이미 밤에 적응해 버려서 그런 걸까?

멸망할 것 같은 고요함도

해가 뜨면 밝아지는 아침도

내겐 모두 같은 외로운 시간이다

그림자

조금 어두운 세상을 살아도 괜찮아

모든 사람들에게 그림자는 존재하고

우리도 그 그림자 속에서

살아가고 있을 뿐이야

햇빛이 날 비추고 있는 한

그림자가 있는 건 당연한 거야

나에게로부터

힘들면 뭘 하려고 애쓰지 말고

그냥 한번 놓아봐

가만히 누워서

내가 내는 숨소리를 들어봐

그렇게 천천히

나부터 시작하는 거야

나의 숨소리는 어떤지

나의 표정은 어떤지

또 진짜 속마음은 어떤지

내가 첫 번째가 되어야

다른 것도 할 수 있는 사람이

될 수 있는 거지

그러니까 서두르지 말고

나부터 해보자

최선의 삶

누군가 그럽디다

해내는 것보다는

해보는 게 중요하다고

조각

꿈이 크면 깨져도

그때 그 순간의 낭만을 기억하며

살아간다

잠들다

침대는 뛰어들면 푹신하고

바다는 뛰어들면 가라 앉는다

공백

삶에도 글에도

꼭 필요한 작은 기다림

과정

각자에게 과정은 모두 다 다르다

순탄한 과정도

계단식 과정도

모두가 과정이란 이름으로 불린다

다만 형태만 다를 뿐이다

우리가 모두 다른 생김새를 가진 것처럼

불안

너는 날 암흑 속에 가두지만

가끔은 그 암흑이 필요한 날이 있어

날 한 번 더 생각하게 만들고

실수를 덜어줘

그래서 나는 네가 가끔식은 필요해

그러니까 내게서 멀리 떠나지 마

02 날 닮은 너에게

웃을 때 예뻐

너도 누군가에겐

미소의 이유가 될 수 있다

너도 행복의 시작점이

될 수 있다

그러니까

조금은 웃어보고

예뻐도 보자

잔잔한 슬픔

잔잔한 척하는
너의 모습이 너무 슬퍼

소리 내 울지 않고
버티는 그 모습이 너무 속상해

그 누구도 네게
소리 내지 말라고 한 적 없는데

어째서 이미 소리 없이 울고 있는지

애써 웃고 있는 그 입꼬리가
떨리고 있잖아

세상에 잔잔한 아픔은 없어

울어도 되니까

애쓰지 말자, 우리

눈물

무너지는 게 아니라

살아가기 위한 과정으로

받아들여 가기를

이유

누군가의 품속에 안기기만 하면

눈물이 난다는 게

안심이었을까

사랑이었을까

달

달의 모양이 달라져도

이름은 변하지 않고,

너의 모습이 달라져도

너의 존재는 변하지 않는다

그러니 조금씩 달라지는 모습을

두려워하지 말고

받아들인다면

달라지는 건 아무것도 없다

별

하늘이 널 원하면
넌 별이 되고,

그저 변함없이
그곳에 있으면 돼

그것만으로도 충분히
아름다워서

하늘은 널 품은 채
깊어질 거야

하늘이 색을 잃고
어둠에 빠지면

너라는 별이 빛나고,
널 품으면

이내 아름다운 바다가 되어
더욱 빛나,

너와 함께라서
그런가 봐

심해

해가 저문 뒤 하늘과 바다는
하나가 된다

너무 멀고 깊어서
닿을 순 없지만,

그 속의 아름다움을
볼 순 없지만,

이미 나는 알고 있다

네가 품고 있는 별들의
색이 어떤지,

얼마나 아름다운
빛을 뿜어내고 있는지

나는 이미 너를 알고 있다

호수

울어도 그 눈물마저도 빛나길

속을 알 수 없는 깊은 호수 같은

사람아

사과

겉으론 누구보다도 더

붉게 타오르는데

속으로는 새하얗게

질려서는

본연의 색을 금방

잃어버리는 나는

토마토가 될 수 있을까요?

다시

여기서

그치지 말라고

다독여주는 이 말이

내겐 필요했다

그리고 오늘은 네게도 필요해 보인다

"다시 힘내자, 너라서 하는 말이야"

약속

지나간 계절이 돌아오지 않는 건

당연하듯

지나간 시간은

가끔 추억만 하자

그 시간을 후회하는 건

아무 의미 없잖아

후회하지 않도록

오늘의 나는 미래의 내게 약속해

너를 위해 포기하지 않겠다고

꿈

작은 가능성을 믿으며

앞으로 나아가는 것,

믿어 볼 꿈이 있다는 건

하고 싶은 게 있다는 건

네가 모르는 하나의 재능이다

다음

잊지 마,

이게 끝이 아니야

넌 아직 끝나지 않았고,

앞으로 더 나아질 거야

오늘이 힘겨워도 ,

끝이라고 말하지는 마

네가 품은 그 작은 희망은

시작이 되고

그 시작이 주는 힘의 크기는

엄청나거든

비교

너와 남을 같은 시선에 두고 바라보지 마

똑같은 시간과
똑같은 공간에 살아도

너는 너야,

그 무엇도 탓하려 하지 말고
너만의 하루를 살아

가끔은 모든 게 내 탓이다 싶어도 그냥 살아
잘하고 있으니까

거짓말

나는 좋아

나는 괜찮아

나는 행복해

나는 힘들지 않아

시든 꽃

시들어도

꽃은 꽃이기에

어떤 일이 일어나도

너는 너이기에

시들어도

다시 피어나서

이번엔

좀 늦게 시들어가기를

당신의 가치를 사고 싶어요

우리의 인연이 연인이 되는 과정은 어쩌면..

서로의 가치를 알아보는 게 아닐까?

그 사람만의 가치를,

나만이 가지고 있는 가치를

서로만이 알아본 거니까,

나는 당신의 가치가 되고 싶어요

쓸모없는 삶은 없다

당신이라는 사람을 만나

함께 살아가고 있으니,

운명의 씨앗

하고 싶은 일이 생기면 마음속에 심고

그 씨앗은 언젠가 분명히 싹튼다

마치 이미 정해진 운명인 것처럼

별 빛 그리고 너

다른 별보다 늦게 떠올랐고

늦게 빛났다

그리고 그 별이 가장 오래도록 아름답게

빛나고 있다

지금까지 그 빛은 꺼지지 않고

이 세상을 밝히고 있다

불안이 불안하지 않게

사랑스럽지 않고

그 모습이 예쁘지 않다고

멀리하려 하지 말아라

조금만 더 보살펴주면

점차 괜찮다고 느껴질

날이 올 테니

나의 불안을 쓰다듬어주자

떨지 말라고 무서워하지 말자고

날 조금 더 안아주자

안도가 필요한 순간

내가 생각하는 그 어떤 것도

당장 일어나진 않는다

그러니 지금을 두려워하지 말고

나중을 걱정하지 말자

나는 날 불행한 쪽으로 이끌지 않는다

불행이라 느껴지는 건 그저 과정일 뿐

결과는 아니다

있잖아

모두가 잠든 밤에는

피어날 줄 알았거든?

혹시 영원히 잠들고 나면

그때 피어나는 건가?

쉽지 않네..

부처꽃

나는 당신의 슬픔이 존재하지 않는다면
존재할 수 없어요

대신 내가 당신의 슬픔을 위로할게요
당신이 이곳을 찾을 때,

나는 조용히 당신의 옆에 피어있을게요
그저 잡초처럼,

내게 관심을 보이지 않아도
홀로 아름답게 피어날게요

당신이 느낀 사랑의 슬픔에 함께 아파할게요
유난히 느리게 흐르는 이 시간 속에서

아침을 기다리는 당신이 외롭지 않도록,
당신의 이야기를 들어줄게요

이곳에서 당신의 생을 마감하지 않았으면 좋겠어요

겨울에 피는 꽃

모두가 피어나는 계절이 아니라

우리만의 계절에 피어나는 꽃

추운 겨울에도 아름다운 꽃

우리의 사랑이라는

아름다운 한 송이의 꽃

힘의 의미

힘을 낸다는 게 때로는 되게

힘들게 다가올 때가 있다

나는 힘을 내려 하는데

남은 힘조차 사라질 것 같은 기분

너의 시간

흘러가는 강물도

흘러가는 바다도

흘러가는 너의 시간보다

더 아름다울 순 없다

그때의 나

너무 미워하지 않으면 좋겠어

어렸잖아

그냥 한 번만 봐주라

이젠 그래도 괜찮은 어른이 되었잖아

빈칸 채우기

살아라

네가 누군지

정의할 수 있을 때까지

씨앗

묻어보기 전까지는

어떤 꽃을 피울지 아무도 모른다

어쩌면 나무가 될지도 모르지

근데 넌 씨앗이 아니라

묻어볼수없는걸?

서툴러도 뭐 어때

우리는 끝없이 결말을 찾아 헤메이고

그 과정은 서투름의 연속이었다

앞으로도 변함없이 서투를 거다

그렇게 자라날 거다

내 삶을 살아갈 거다

또 하나의 지구

세상은 너 없이도 잘 돌아가

근데 네 인생은 네가 없으면 안 돌아가

네 인생도 하나의 세상이야

세상이 멈췄어

네가 없어서

((

세상에게 상처받을 때 울어도 돼

소리 내서 울어도 돼

...

그래도 괜찮아

03 사랑과 아픔은 공존하더라

첫눈에 반한 건 아니었다

그냥 가끔

그저 몇 번

본 것뿐인데,

너에게 마음을 빼앗겼다

손쓸 틈도 없이,

너에게 빠져들기 시작했고

그게 사랑이구나

깨달았다

내 진짜 진심은 말이야

바쁘다는 너의 말에

그러려니 하면서 넘어가고

잠깐의 연락을 기다리느라

지칠 대로 지쳐서

더 이상 행복하지 않았어

그래서 널 또 밀어냈어

그러지 않으면 또 나만 상처받으니까

그래서 상처를 줬어, 내가

너에게

그래서 지금의 너는 어때?

행복하니?

추억

너는 마치 봄과 같은 얼굴을 하고

내게 나타나

꿈과 같은 시간을 함께했다

필연

내가 아무리 도망쳐도

너를 끊어낼 수 없는 이유

행복 뒤의 아픈 기억들

운명이라는 단어를 찾기 위해서

당신이 겪었을 그 아픈 기억들,

그걸 잊게 만드는

운명보다 더 소중한 단어,

'행복'

한 끗 차이

너에게 나의 모든 걸 내어주었다

온 힘을 다해 좋아했는데

널 향한 내 애정은

어느 순간 애증이 되어 돌아왔고,

나의 사랑은 너에게 닿은 적 없다고

그러더라

넌 왜 매번..

날 봐주지 않는 건데

타서 사라지는 기억은 없다

너와 찍은 사진에

불을 붙이고,

가만히 바라보고 있으면,

그때의 기억들이

더 선명하게 타오른다

함께 했던 시간들이

스쳐 지나간다

너와의 사진을 불태워도,

우리의 기억들은 여전히

내 안에 남아있다.

숨바꼭질

운명은 장난스러웠다

내가 당신을 꿈꾸고,

내가 당신을 원하는 순간에는

단 한 번도 나타난 적 없다

눈을 감고 나를 원망하거나

내 인생을 원망하거나,

내가 가장 힘든 순간

나타난 당신은

또다시 저 멀리 숨어버렸다

내가 너를 잊는 방법

눈이 부시던 그날의 햇살과
시원하게 불어오던 바람의 모습도

나는 아직도 그날을 기억한다

우리의 안녕은 영원한 안녕이 되었고,
한순간 너를 잊어야 했다

아무리 걸어도 내 옆에는
더 이상 네가 서 있지 않았고,

안녕이라고 말하던
너의 마지막 뒷모습만이

또다시 나를 울린다

그렇게 한번 두번 그리고 세 번,

그때의 너를 마주하다 보면
너를 잊을 수 있겠지

그때는 사랑이 아니길 기도하며
또다시 이 길을 걸어본다

통화연결음

그 사람이
벌써 나를 잊어버렸나?

원래 이별이라는 게 이렇게 쉬웠나
그리움은 나에게만 남았나?

어찌 당신의 목소리는
들리지를 않고,

지금은 받을 수 없다는
낯선 이의 목소리만 들려오는가

미처 보내지 못한 문자

전해지지 못하였으니

이 마음은 오래도록

나만 알고 있겠지

전화번호

시간이 아무리 지나도

선명하게 남은

너에게 닿는

단 하나의 번호

결국 우리가 마주한 엔딩은

서로의 엔딩에 함께 하리라 약속하던

그 마음은 떠난 지 오래,

바라만 보아도 좋았던

그날의 우리는

더 이상 서로를 바라보지 않았고,

사랑과 영원이라는 단어랑은

멀어지기만 하고,

사진 속에 표정은 늘 같았다

너와의 이야기는 막이 내렸다

각자의 엔딩을 가졌다

변명

왜 하필 너였을까

다른 사람이 아니라

왜 하필 너였을까

내가 왜 널 사랑하게 되었을까

이렇게 남보다 못한 사이가 될 줄 알았다면

만나지 않았을 텐데

사랑하지 않았을 텐데

진심이지 않았을 텐데

이건 누구 탓인데?

서로 다른 이별

너와 내 이별이 끝난 이유는
내가 널 놓았기 때문이다

뒤늦은 후회

늦은 밤에 하는 산책을 좋아했고
함께 보는 밤바다를 좋아했지

웃을 때면
늘 세상을 다 가진 것처럼 웃었고

눈물을 흘릴 때면
늘 내 품에 안겨서 울었지

그날도 널 안아줬어야 했는데

한 번만 더 산책하자고 할 걸

밤바다 보러 가자고 이야기할걸

사랑한다고
말해줄걸..

흔적

너에게 배웠던

다정을 다른 사람에게

나누었다

나의 이름으로

너의 흔적을 나눠주었다

나는 네가 되었다

너의 계절

일 년에 딱 한 계절,

이 계절이 나를 덮어오면

나는 너를 찾는다

이 계절은 너의 향기를 품고

나를 덮친다

또 네가 보고 싶다

끝이 없는 끝

이제 더 이상 상처받을 일은

없을 줄 알았는데,

지금도 여전히 난

아프다

나의 감정은 습관이 되었고,

나의 아픔은 반복되고 있었다

그 끝은 도저히 알 수 없고,

끝을 찾을 수 없어서

또다시 처음으로 돌아가기를

반복하고 있다

잔향이 남은 향수처럼

향수의 잔향이 남는 것처럼

내게는 너의 흔적이 남았다

왜 이리도 깊게 남아

지워지지조차 없는가

주사

그냥 잊어,

너도 나도 잘 하잖아 그거

04 부제: 사랑 그리고 이별

가장 아름답던 날

너와 함께하던

그날의 내가

가장 예뻤다

로맨스 코미디

설렘과 우정 사이를 넘나드는

우리의 이야기,

때론 사랑하는 연인으로

또 가장 친한 친구로,

우리의 장르는

로맨스 코미디이다

티라미수 케이크

어두운 밤
밝은 가로등 아래

벤치에 앉아서

한 입씩 나누어 먹던
케이크

달콤한 크림과
쌉싸름한 커피 향,

부드럽던 우리의
첫 입맞춤..

커피 향 때문이었을까
너와의 입맞춤 때문이었을까..

쉽게 잠 못들었던
그날 밤..

산책

너를 보고 싶다는 핑계

여행

케리어의 달그락거리던 소리,

묘하게 어색하던

너와 함께 보내던 그날 밤을 기억해

아름답던 바다도,

반짝이던 별들도,

하나의 향기로 기억된

우리의 새벽공기

꽃다발=사랑

어느 날 선물 받으면
기분 좋아지는 꽃다발처럼,

어느날 갑자기 찾아온 사랑은
날 더 설레게 만들고,

어제와 다를 것 없을 예정이던
오늘이
예상과는 다르게 흘러가잖아,

그래서 더 특별하잖아,

오르골

이미 입력된 코드의
멜로디가 흘러나온다

변하지 않고 늘 같아서,
새로움에 적응하지 않아도 되니까

그 같음이 좋았다

나의 마음에 네가 손을 가져다 대면
움직이는 게,

그런 네가 하는 그 말들이
매번 같아서,

달라지지 않아서 좋아,
너의 그 같음이 좋았다

망했다

난 널 사랑하는데

네가 날 사랑하면

죽어버릴 것 같아

그 사랑이 변해버릴까 봐

겪어야 할 이별이 무서워

변하지 않겠다고

장담할 수 있어?

이별

나의 행복의 끝맺음,

서로에게 사랑을 주고
상처를 받고,

함께하는 순간순간이 반짝여도
마지막은 빛나질 못했던,

이제 그만 멈추자고
말하던,
내 입술이..

떨리던 당신의 목소리가
신경쓰여도

끝날 수밖에 없었던
너와 함께 있는 나,

내가 당신과 함께한 마지막

한마디

너의 그 한마디가

너무나도 가벼워서,

그래서 더 아프다

후유증

사랑과 이별이 지나가고 난 자리에는
이름 모를 아픔만이 남아 있어요

내가 끝낸 사랑에도
아픈 건 다르지 않네요

당신만큼은 아닐지라도
나도 똑같이 아팠어요

꽤 깊게 남은 쓰라림..
그 속에서 살고 있어요

아픔

아물어가던 마음이

다시 아파오기 시작했다

우연히 널 봐서..

아니면 또 새벽이 와서..

이 순간 네가 떠올라서..

어떠한 이유 때문이라고

정의할 수는 없었다

부재중 전화 2통

붉은색의 네 이름,

전해지지 못한
너의 목소리

전해 받지 못한
너의 마음들

시작조차 못 했던
우리의 대화

일방적 부재중,

비공식적 짝사랑

공식적으로

너와 나는 끝났다

이제 내게 남은 건

또다시 나 혼자서

널 좋아하는 것뿐이다

첫눈

추운 겨울날
쭉 뻗은 손바닥 위로
살포시 내려앉은 하얀 솜사탕,

금세 녹아서
사라져 버렸지만,

난 그 순간을 잊을 수 없어

겨울에 내린 봄날 같았거든,

너와 함께 있을 때 만큼은
몸도 마음도 따뜻해서

겨울이었음을 잊어버리곤 해

자꾸만 눈물이 차오르는,

괜스레 그 사람의 안부가 궁금해지는,

지우개 딸린 연필

만약 우리의 이야기를

쓰다가 다시 지울 수 있다면,

뱉어버린 말이 후회되니까

다시 지울 수 있다면,

너의 기억 속에서

날 지울 수 있다면,

지우개로 지워버릴 거야

왜

진짜 사랑이라도

하려 했습니까?

사랑 따위

믿지 않겠다면서요

((

사랑과 이별에 아파해도 돼

충분히 슬퍼해도 돼

...

그래도 괜찮아

01 실수가 낭만이 되어도 괜찮아

시작

첫 발걸음이 산뜻하게 시작되면

그 과정도 즐겁게만 느껴진다고 해

그저 시작일 뿐인데

너무 걱정하지 말자

걱정은 잠시 미뤄도

문제없잖아

꼭 기억해,

첫 시작은 늘 가볍게

처음

누구에게나 처음은 있고

이미 우리는 수많은 처음을 겪었다

두려움

첫 실수는 누구나 겪어

그래도 괜찮아,

사실 네 옆에 그 사람도

실수투성이일지도 몰라

하지만 그 실수를 잘 대처한다면

실수는 금방 지워지니까

두려워하지 말고

실수를 통해 많은 걸 배우자

쓸모없는 두려움은

널 붙잡을 뿐이야

과정

세상에 쉬운 건 없고

의미 없는 과정은 없다

그 모든 과정들에는

모두 다른 의미가 있고

우리의 이야기에도

쉽게 흘러가는 스토리는 없다

우리는 그 모든 시간을

어렵게 살아왔기에

충분히 잘 살아가고 있다고

생각해도 괜찮다

깨진 틈 사이로

사람은 깨져봐야

그 속의 빛이 보인다

깨지는 걸 두려워하지 말고

부서지도록 빛나보자

확신

나를 믿어주고

기다려주는 건

오직 나만이

할 수 있는 일이다

그러니까 나는

날 믿어도 괜찮아

그래도 괜찮아,

성장

가장 위태롭고

불안한 시간을 보내고 나면,

동이 트고 아침이 오겠지,

너의 밤은 새벽을 지나

아침이 되는 당연한 과정을

격고 있는 것뿐,

그 이상도 그 이하도 아닌

하루를 살아가고 있다는 것

점선

보이는 그대로야

잠깐씩 멈추고

다시 나아가도

선은 채워지고

또 다른 이름으로

살아가지

신념

세상이 변해도 나만큼은 변하지 말자

새로운 것보단 기존의 것을 지키자

나를 제외한 모든 것이 변해도

동요하지 않는 굳건한 마음

절대로

나의 아팠던 과정을

외면하지는 말자

그때의 내가 얼마나

대견했는지를 기억하자

과거의 나를 잊어버리면

지금의 내가 어떻든 아무 소용없다

과거의 내가 아니었다면

지금의 너는 없을 테니까

길

끝을 바라고 걸어가면

길게만 느껴질 테니

그냥 즐기면서

걸어보자

내가 즐거우면

나의 시간은 빠르게 흐른다

타인

타인은 늘 완벽해 보이고

나

는 늘 부족해 보인다

정

상

정상에 도달했을 때 보이는 건

내리막길뿐이다

비정상이다

사실 정상이란 없고

우리에겐 끝은 없다

뜨거워진다는 게

무언가에 가슴이 뜨거워진다는 게

얼마나 낭만 있는가

젊음

어쩌면 이미 경험했고

어쩌면 지금 살아가는 중이겠지,

그 누구도 피할 수 없고

그 순간만큼은 누구보다도 치열하게 살아가겠지,

우리는 그렇게 살아가고 있고

그렇게 살아갔다

젊음은 너무 서툴렀고

또 투박했다

그 안에 피어난 우리의 사랑은

해맑고 유치했다

방식은 촌스러웠고

또 부끄러우리만큼 솔직했다

괜찮아

괜찮아,
그래도 괜찮아

한 번쯤은 괜찮아

실수해도 괜찮아

너라면 다 괜찮아

분갈이

식물에게도 적응 기간이

필요하고

물고기에게도 적응기간이

필요하다

사람이라고 다를까

☾

실수해도 돼

잠시 멈칫해도 아무 상관 없어

...

그래도 괜찮아

02 그들과는 다른 사랑을 한다고 해도

나름 낭만적이라서 괜찮아

우리의 여름은 불타올랐다

후텁지근한 여름

그 여름의 밤바다 앞에서,

소란스럽게 터지던

우리의 사랑이

모래사장에서부터

밤하늘까지 솟아오른 불빛들이

달과 닿는 순간

불타올랐다

우리의 여름밤처럼

그 여름의 가운데 우리가 있었다

오일파스텔

쉽게 번지는 이 색감이

너의 입술 위에도 번지려나

공중전화

소나기가 내리는 날이면

비를 피하면서

서로의 사랑을 확인하던

조금은 낭만 있었던

그날의 청춘들

첫사랑

듣기만 해도 마음이 간질거리고,

당신과의 추억이 담긴
물건을 바라보기만 해도
그때의 기억들로 뭉클해지는,

누군가에게는
아픈 상처였고
또 다른 누군가에겐
평생 잊지 못하는

' 청춘 ' 이라는 단어로 기억될,

우리가 진심으로
사랑했고 아파했고
간절하게 원하던,

그 이름…

무모함

앞뒤 없이 너만 보였던,

뒤돌아 사라져가는

너의 손목을 잡아볼 수 있었던,

너를 품에 안고 영원을 약속할 수 있었던,

그 모든 게 단순하고,

즉흥적이었다

우리가 까먹고 있던 단 한 가지

너와 나는 서로를

주어진 모든 순간마다

진심을 다해 사랑했다

꾸준하게

좋아하는 걸 계속하면 행복해진대요

난 당신을 계속 좋아해 볼까 봐요..

흑백사진

먼 훗날

아주 먼 훗날

너의 마지막 모습을 보게 되는 그날

주저하지 않고 너에게 이야기 해줄 것이다

널 많이 사랑했다고

그때의 너를 만난 건

내 모든 선택의 순간 중에서

후회할 리 없는 최고의

순간이었다고

우리의 사진이 빛에 바래서

그때보다 못나 보여도

여전히 아름답다고 말해줄래요

행운

의지와 노력과는 상관없는 운수,

좋지 않은 운수는 불행이고,

좋은 운수는

행운이라 불린다

너를 만난 나의 이번 생은 '행운'이였다

개기월식

달은 지구를 맴돌고

나는 너를 맴돈다

우리가 마주보는 순간

세상에 빛은 사라지고

보지 못했던 것들이 보이기 시작한다

니가 예뻐보이기 시작했다

01 그날의 여름 한 가운데

여름

따뜻한 햇살이 창틈을 비집고 들어와

단잠을 방해하고,

반쯤 뜬 눈으로 문고리를 찾으려 더듬거린다

겨우 찾은 문고리를 밀고 나가면

내 귓가를 맴도는

선풍기 돌아가는 소리

매미 울음소리

기지개 쭉 켜고

눈 한 번 비비고 나면

커다란 거울 안에는

바람에 흩날리는 부드러운 시폰 커튼과

여전히 졸린 듯 입 가리고 하품하는 나 있네

보이지 않는 계절의 향기가

손끝에서부터 전해지는

두 번째 계절

오늘에 나는

오늘의 너를 느껴본다

비누

서랍 속에 아껴두던 너를 꺼낸다
닳아 없어질 네가 너무 아까워서
가만히 바라만 보았다

네가 물속에 들어가면
점점 사라질 거라는 걸 알면서도
풍덩 -
나는 너를 물속에 빠뜨렸다

나를 홀린 너의 향기가
더 깊게 퍼진다

내 손끝에도 너의 향기가
스며들었다

나는 알게 되었다
향기는 사라지는 게 아니라
스며들어 간다는 것을

바다

아름답게 저물어가는 하늘과 맞닿는 그 순간,
수평선이 나타난다

세상에서 가장 아름다운 광경을
내 눈에 담을 수 있다

그 어떤 계절에도
매일 다른 아름다움에 빠져든다

깊고 차가운 건
어쩌면 바다와 먼 단어일지도 모른다

바다는 따뜻하고 아름다운 그림이 아닐까?

시트러스

초여름의 싱그러운 향기를

가득 머금은 채

깊은 곳에서부터 느껴지는 과일 향에

묘하게 달라진 것 같은 내 마음

나도 모르게 너를 껴안았다

그 순간 네 목선에서 느껴지는

은은한 향기,

내가 반해버린 너의 향기

3 2 1

이제 그만

우리에게 주어진 10분의 시간이 끝났다

자꾸만 끌리는 너의 향기가

나를 또 네게 이끌리게 만든다

자전거

멈추지 않고
달리다 보면,

불어오는 바람과

나른한
오전의 향기는

온전한 내 것이 된다

오늘의 여름은
오직 나만의 여름이다

10대의 마지막 여름

내 손안에 있는
네모난 상자 속 아이는
날 바라보며 웃었습니다

이슬이 가득한 숲속 어딘가에서
바다가 한눈에 보이는 모래사장 위에서
의자가 쌓여있는 학교 옥상에서
어쩌면 마지막이 될
청춘의 끝자락에서

아름다운 미소로
내게 속삭입니다

"너는 나의 청춘이 되었고,
나는 너의 영원한 여름이 될게, "

여름과 청춘의 마지막 모습은
어쩌면 우리의 생각보다도 더
아름답게 빛나고 있었을지도 모른다

얼음

냉동실에서 방금 꺼낸
투명한 한 조각의 여름을 입에 넣는다

깨무는 순간
내 입안에는 여름이 한가득 퍼진다

눈을 감고
여름을 느껴본다

여름이 녹아 사라지고 나면
여름을 만나기 전,

봄으로 돌아가
추억할 여름의 기억을 만들어본다

게스트 하우스

오월을 닮은 너와

통창으로 비치는 여름

선풍기 하나를 가운데 두고

우리는 나란히 누워

이 순간의 잔잔함 느껴본다

끝나지 않을 것 같은

고요함을 느껴 본다

((

그날의 여름을 오래도록 기억해도 돼

기억은 단비와 꼭 닮아 있잖아

...

그러니까 괜찮아

02 기억 너머에

오랫동안

평생을 함께한다는
또 다른 말,

긴 세월을 같이 하자는
또 다른 말,

지금 이 마음만큼은
변하지 않겠다고 약속하는
또 다른 말,

영원이라는 단어를 대신하는
또 다른 말,

시간이 선물해 준 기억들

점점 희미해지는 기억들도,

오래 간직하고 싶은 기억들도,

언젠간 사라질 기억이라도
괜찮아,

그 시간을 우리 중
한 사람은 기억할 테니까

다른 시간 속에서도
또다시 반복 된다 해도
어김없이,

기억할게,

간직할게,

너의 따뜻한
지금의 체온을,

너의 서툴던
그때의 마음을,

복숭아꽃

겨울이 지나고
아름답게 피어났다

아름답고도
달콤했던
그 향기가 저물고 나면

나를 대신한
더 아름다운 열매와

더 달달한 향기가
퍼지기 시작하면

난 저 아래서
분홍빛 꽃길이 되어

지나가는 당신에게
스쳐 지나가는 향기가 되어드리리다

원근법

꿈도 별도 쉽게 사라져버리지

않았으면 좋겠어

너에게 닿기까지

얼마 안남았단 말이야

벚꽃놀이

세상은 봄을 닮아

어여쁜 너를 이 안에 담아

셔터 소리와 함께

한없이 아름답게 기억하게 했다

내 친구

내 어릴 적 가장 친한 친구의

이름은 상상이다

언제 어디서든 함께였고

내가 필요하다고 느끼면

늘 나타났다

난 아직도 그 친구와 자주 놀곤 한다

하지만 이제는 알고 있다

그건 모두 허상일 뿐이었다는 것

안식처

마음이 편해지고

날 살게 하고

결국은 내가 죽어야 할 곳

03 어릴적 네가 가장 행복하던 그 순간 속에서

유리구슬

작은 동그라미가 가진 투명한 마음
그 마음이 가지고 있는 순수했던 계절,

따뜻한 여름에도
서늘했던 겨울에도
너만은 변치 않았다

모두가 현실과 타협하며 변해가도,
너만은 변하지 않았다

너의 소중한 작은 마음은
오랫동안 지켜질 것이다

너와 나의 마음 깊은 곳에서
변하지 않고,
잠들어있을 것이다

꽃반지

어릴 적 주고받던 약속들
시간이 지날수록 점점 희미해져 가고,

그 시절에 내가 그리워지는 날에는
두 송이의 꽃을 꺾어서,
조금씩 엮어본다

그날의 향기가 내 손끝에 닿으면,
살포시 눈을 뜨고

세상을 다 가진 것처럼
작은 것들에도 행복을 느끼던
물들지 않은 본연의 나를 보아요

이곳에선 애써 나를 찾지 않아도 돼요
내 감정을 숨기지 않아도 괜찮았던,
이젠 꿈이었나 싶은 내 어릴 적 이야기

꿈이 아니에요

잠시 잊고 산,
행복한 기억이랍니다

흰 운동화

새하얀 너와 함께 거리를 걷는다
낮에도 밤에도
너와 있을 땐 무척이나 편안했다

시간이 지나고
너와 걸었던 곳을 혼자서 걸었다

집으로 돌아온 나는
너를 가만히 바라보며
지나온 추억들을 떠올린다

잠시 잊고 있었던
너와의 행복했던 순간들이
수면 위로 떠오르면

나는 그 기억들을 건져서
그때 그 순간으로 돌아간다

우리가 가장 행복하고
투명했던 그 순간으로 돌아간다

우리의 하얀 그 마음이
언제부터 얼룩지기 시작했던 걸까?

작별

어릴적 나와 작별했다

기억에도 없는 어느날

난 나를 떠나보내야만 했다

내가 나를 잊었기 때문이다

어른이 된다는 건

어린 나를 겉으로 보이면 안된다는 것

그렇게 점차 나를 잊어버린다는 것

김 치

우리가 가장 행복하게 미소 지었던

마법의 단어

하나 둘 셋!

김치~

어른, 아이

열한살의 나는 마냥 웃었다

스무살의 나는 단점을 의식하느라 바빴다

가장 꾸밈없던 미소를 다시 짓게 되면

그 어떤 것보다 더 행복할순 없을 것 같다

하얀배경

부모님이 만들어주신 날개는

어느 순간부터 보이지 않는다

엄마 아빠의 어깨에도

날개는 없었다

어른에게 날개라는 배경은 없다

행복했던 그 날을 그리워해도 돼

네 마음속에 있어서 언제든 볼 수 있으니까

...

그래도 괜찮아

04 우리만의 언어속에서

찰나

우리의 인생에서

아주 극 일부인 짧은 시간,

그 시간 속에서 우리는

찰나가 영원이 되었습니다

서로의 운명이 되었습니다

보이지 않는 마음의 크기

마음의 크기는
눈에 보이지 않는다

또 사랑의 정의가 무엇인지
우리는 설명할 수 없다

하지만 저마다의 사랑이
하나의 정의가 되어서,

보이지도 않는
우리의 마음을,

우리의 사랑을
이야기한다

보이지 않아도
보인다고 믿으면서,

서로의 마음을
꺼내어 보여준다

보이지 않는 마음은 없다

꽃집

이 향이 내게로 오기까지

너는 한참을 서서 망설였구나

소나기

처음엔 그저 빨리 그치기를 바랐다
맑은 하늘을 그 아이가 더 좋아했으니까,

세차게 내리는 너를 바라보고 있으면
세상이 금방이라도 무너져 내릴 것 같았다

위태롭던 내 세상이 무너지는 순간
나는 너와 함께 울었다

나의 울음소리가 너로 인해 가려진 채
세상이 무너지듯 울었다

우리는 그날 함께 울었다

그리고 아무 일도 없었다는 듯
고요해진 세상을 향해 나아간다

내 세상이 무너지는 그 순간에도,

나는 너에게서 온기를 느꼈다
따뜻한 온기를 느꼈다

우산

흩어진 시간 속을 걸어가던,
마치 감정을 잃은 사람 같던 너

목적지 없이 무작정 나선
너의 어깨가 젖어있어서,

그저 그런 너의 어깨가
너의 눈동자가 쓸쓸해 보여서,

너와 그 비를 함께 맞기로 했다

나는 이제야 알 것 같아,

빗소리를 느끼는 것보다
비를 온몸으로 느끼는 게
더 위로가 된다는 것을,

나는 너의 우산보다는
또 다른 위로가 되어주기로 했다

엽서

나의 마음을

꾹꾹 눌러 담아보아요

나의 애정을

글로 옮겨 적은 편지는

오랜 시간이 지나도

변하지 않아요

만약 우리의 마음이 변해도

영원히 변하지 않음을 약속한,

오늘의 온도를

당신께 선물할게요

많은 시간이 흘러도

변하지 않을 추억을 드릴게요

사랑 그 속에서

내 사랑을 의심하게 되면

언제든 말해 널 사랑한다고

몇번이고 반복해서 이야기 해줄테니까

주저하지 말고 말해 날 사랑한다고

사랑해

그 어떤 표현도

너를 담아낼 수 없다

널 닮아 있을 수 없다

부스러질 기억

지금 이 마음이 녹슬고

이내 사라지더라도

난 널 사랑해 그리고

넌 그걸 기억해주면 돼

난 그거면 돼

네가 그린 밑그림

네가 남겨둔 밑그림 위에

색을 더하지도

연필 자국을 지우지도 못했다

옅은 줄 알았는데

생각보다 진한 여운을 남기고 갔구나

오늘도 여전히 미완성된 사랑이었다

포토존

가장 아름다운

너를 담아내는 곳

결론

익숙해진다는 건

적응을 완료했다는 것

나의 실수가 익숙해진다는 건

실패에 익숙해졌다는 것

실수는 실패가 아니다

내가 그렇게 결론 내리기 전까진

((

너만의 생각과 언어를 가저도 돼

그게 바로 너니까

...

그래도 괜찮아

·✧ ˳ ˙ ·

그러니까 너처럼 살아도 괜찮아

- [To. You] -

너 처럼 살아도 괜찮다고

발   행 | 2024년 07월 23일
저   자 | 정서하
펴낸이 | 한건희
펴낸곳 | 주식회사 부크크
출판사등록 | 2014.07.15.(제2014-16호)
주   소 | 서울특별시 금천구 가산디지털1로 119 SK트윈타워 A동
305호
전   화 | 1670-8316
이메일 | info@bookk.co.kr

ISBN | 979-11-410-9671-7

www.bookk.co.kr
ⓒ 정서하 2024